Au moment de l'**heure des histoires**, tandis que l'un regarde les images et l'autre lit le texte, une relation s'enrichit, une personnalité se construit, naturellement, durablement.

Pourquoi ? Parce que la lecture partagée est une expérience irremplaçable, un vrai point de rencontre. Parce qu'elle développe chez nos enfants la capacité à être attentif, à écouter, à regarder, à s'exprimer. Elle élargit leur horizon et accroît leur chance de devenir de bons lecteurs.

Quand ? Tous les jours, le soir, avant de s'endormir, mais aussi à l'heure de la sieste, pendant les voyages, trajets, attentes... La lecture partagée permet de retrouver calme et bonne humeur.

Où ? Là où l'on se sent bien, confortablement installé, écrans éteints... Dans un espace affectif de confiance et en s'assurant, bien sûr, que l'enfant voit parfaitement les illustrations.

Comment ? Avec enthousiasme, sans réticence à lire « encore une fois » un livre favori, en suscitant l'attention de l'enfant par le respect du rythme, des temps forts, de l'intonation.

Pour Camille, Chloé et Léa.
A.

Pour Lucie, Claire et Rémi.
®

Sous la direction de Colline Faure-Poirée
ISBN : 978-2-07-065949-4

N° d'édition : 264585
Loi n° 49-956 du 16 juillet 1949
sur les publications destinées à la jeunesse
Dépôt légal : mai 2014
Imprimé en France par I.M.E.

Arnaud Alméras • Robin

Moi, j'AIME quand PAPA...

GALLIMARD JEUNESSE GIBOULÉES

Moi, j'aime quand papa me donne le bout de la baguette toute chaude qu'il vient d'acheter chez le boulanger.

Moi, j'aime quand papa me prend sur ses épaules quand je suis fatigué de marcher.

Moi, j'aime quand papa me fait jouer dans les vagues, et me porte en l'air, quand elles sont trop hautes, au bout de ses bras.

Moi, j'aime quand papa fait des blagues au téléphone à ma cousine, en se pinçant le nez et en prenant une voix de fille : « Allô ? Allô ? C'est tante Georgette. »

Moi, j'aime quand papa soulève les grosses pierres dans les rochers, au bord de la mer, pour qu'on trouve des crabes, même si je n'ose jamais les attraper.

Moi, j'aime quand papa prépare la terre du potager et qu'il me laisse planter les graines ; il fait le trou dans la terre et c'est moi qui dépose la graine de haricot...

Moi, j'aime quand papa me laisse coiffer sa crinière quand on joue au coiffeur ; et je lui mets plein d'élastiques, c'est trop rigolo et il dit : « Oh ! Madame, mais c'est très réussi, merci beaucoup ! »

Moi, j'aime quand papa regarde avec moi le rugby à la télé, il essaie de m'expliquer les règles. Je n'y comprends rien mais c'est bien quand même.

Moi, j'aime quand papa m'emmène faire les courses, il fait l'imbécile avec le Caddie et j'ai le droit d'acheter une petite bêtise, mais une seule…

Moi, j'aime quand papa va chercher à la cave la piscine gonflable pour la poser dans le jardin, parce qu'on a vraiment trop chaud, et qu'il ne trouve jamais le gonfleur, alors il la gonfle avec la bouche et il est tout rouge ; mais à la fin il est content d'avoir réussi et il dit : « Dommage que je ne puisse pas y aller, moi aussi ! »

Moi, j'aime quand papa joue de la guitare, le soir, et me chante une petite chanson pour m'endormir ; c'est toujours la même, mais c'est joli.

Moi, j'aime quand papa fait la bagarre avec moi, un peu pour de vrai, mais plutôt pour de faux ; et qu'on se roule sur le tapis du salon et qu'il me dit pour rigoler : « T'aurais jamais dû faire ça, Jack ! »

Moi, j'aime quand papa met un pansement sur mon bobo, et qu'il me répète qu'il me l'avait bien dit que le produit pour soigner les bobos ne piquait pas.

Moi, j'aime quand papa m'entraîne au foot, c'est le goal, mais parfois il fait exprès de rater le ballon et il fait des galipettes rigolotes par terre.

Moi, j'aime quand papa m'offre une barbe à papa au parc, quand on s'est promené très longtemps, en disant à chaque fois : « Une barbe à papa... mais je n'ai pas de barbe, qu'est-ce que c'est que cette histoire ? »

Moi, j'aime quand papa fait de la luge avec moi, on descend ensemble, moi, je pousse des cris, et c'est papa qui remonte la luge et qui me prend la main pour me donner du courage dans la montée.

Moi, j'aime quand papa, le soir, sculpte ses petits objets en bois dans le salon, en écoutant le foot à la radio, et moi, je ramasse la sciure blonde et je la mets dans des boîtes.

Moi, j'aime quand papa fait une surprise à maman, elle est toute contente et lui fait un bisou.

Moi, j'aime quand papa me lit une histoire le soir, et encore une autre, mais après, promis, c'est fini !

Et voilà, c'est fini.

Des mêmes auteurs :

Brazéro. La dispute, 2008

Moi, j'aime quand maman, 2011

Du même illustrateur :

Les héros en vacances,
texte de Rémi Chaurand, 2007

Le grand secret,
texte de Vincent Cuvellier, 2007

Dans le monde, il y a...,
texte de Benoît Marchon, 2009

Le temps des Marguerite,
texte de Vincent Cuvellier, 2009

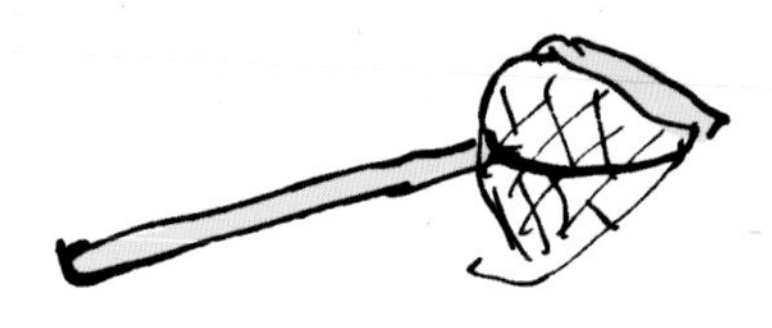

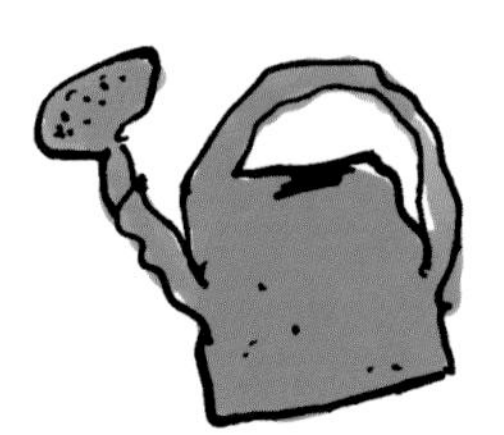

Moi,
J'AIME
quand
PAPA...

Dans la même collection

n° 1 *Le vilain gredin*
par Jeanne Willis
et Tony Ross

n° 3 *L'oiseau qui ne savait pas chanter*
par Satoshi Kitamura

n° 4 *La première fois que je suis née* par Vincent Cuvellier et Charles Dutertre

n° 5 *Je veux ma maman !*
par Tony Ross

n° 14 *Clown*
par Quentin Blake

n° 18 *L'énorme crocodile*
par Roald Dahl
et Quentin Blake

n° 19 *La belle lisse poire du prince de Motordu*
par Pef

n° 22 *Gruffalo*
par Julia Donaldson
et Axel Scheffler

n° 25 *Pierre Lapin*
par Beatrix Potter

n° 29 *Le chat botté*
par Charles Perrault
et Fred Marcellino

n° 31 *Le grand secret*
par Vincent Cuvellier
et ®obin

n° 32 *Pierre et le loup*
par Serge Prokofiev
et Erna Voigt

n° 40 *Les Cacatoès*
par Quentin Blake

n° 48 *Ma grand-mère Nonna*
par Mireille Vautier

n° 52 *Petit Gruffalo*
par Julia Donaldson
et Axel Scheffler

n° 54 *Brazéro - La dispute*
par Arnaud Alméras
et ®obin

n° 69 *La lune, la grenouille et le noir* par Monique et Claude Ponti

n° 71 *Selma la drôle de vache* par Barbara Nagelsmith et Tony Ross

n° 72 *Louise Titi* par Jean-Philippe Arrou-Vignod et Soledad Bravi

n° 73 *Le sac à disparaître* par Rosemary Wells

n° 75 *Les ours de Grand-Mère* par Gina Wilson et Paul Howard

n° 76 *Zébulon le dragon* par Julia Donaldson et Axel Scheffler

n° 77 *Drôle de crayon* par Allan Ahlberg et Bruce Ingman

n° 78 *Amos et Boris* par William Steig

n° 79 *Raiponce*
par Sarah Gibb

n° 80 *C'est un livre*
par Lane Smith

n° 81 *Ma chère grand-mère est une sorcière* par Tracey Corderoy et Joe Berger

n° 82 *Le livre de tous les bébés*
par Janet et Allan Ahlberg

n° 83 *La batterie de Théophile*
par Jean Claverie

n° 84 *Une toute petite, petite fille* par Raymond Rener et Jacqueline Duhême

n° 85 *Bienvenue Tigrou!*
par Charlotte Voake

n° 87 *Moi, j'aime quand maman...* par Arnaud Alméras et ®obin